British Landscape Designers and their Creations
Britse Tuinarchitecten en hun Creaties

British Landscape Designers and their Creations

Britse Tuinarchitecten en hun Creaties

With an introduction by / Met een voorwoord door: Noel Kingsbury

STICHTING KUNSTBOEK

Introduction

No-one comes to Britain for the food or the weather. But visitors do come to see our gardens, and the wet weather is a large part of why British gardens are the way they are. With plentiful rain and a moderate temperature range, it is possible to grow a huge selection of plants in the island's gardens. Not surprisingly British garden design has always been very strongly plant-driven, far more so than other gardening cultures. There is even a special word for plant connoisseurs – 'plantsmen'. Britain's huge range of heritage gardens reflects not only a barometric swing between formality and informality, but also creatively responses to the waves of new plant introductions that have been made over the centuries.

In the development of the contemporary garden however, our heritage has been almost a hindrance. In a society that still betrays a more feudal character than others in Europe, garden fashion was for many years dominated by aristocratic and upper class arbiters of taste. In addition, the modern movement in the arts had very little effect on the British garden – although two of the designers featured here, John Brookes and Anthony Paul, have bravely been building contemporary gardens for years. Although many great gardens have been made over the last fifty years, relatively few have shown real innovation. Instead there has been an endless re-working of heritage themes.

But at last – British garden design has broken free of the country house! As this book illustrates, contemporary themes are now making a real impact, as a younger generation of designers get to work, using bolder forms and new materials. Garden design as a profession has undergone an enormous expansion, with not only many more people practicing, but also in the number of opportunities the public have to see design in practice. National and regional flower shows nearly always include 'show gardens', assembled especially for the event, whilst garden television has essentially become about garden design and construction rather than about the craft of gardening. More recently still, there has been an interest in the cross-over between garden design and installation art, with one national show (at Westonbirt Arboretum in Gloucestershire) modelling itself on the annual French garden festival at Chaumont-sur-Loire.

Given that gardening as a hobby and a craft is so very strong in Britain, there is a much-discussed tension between gardening and plant-connoisseurship on the one hand and design on the other. It is difficult to imagine this debate anywhere else in the world! Yet the very best British designers generally achieve a synthesis of strong design principles and an adventurous and appropriate use of plants; currently this is perhaps most clearly seen in those gardens that include a lot of exotic-looking southern hemisphere plants, which of course flourish in our mild climate.

A major recent influence on British gardens has undoubtedly been contemporary landscape design in mainland Europe, both the handling of hard materials and space by landscape architects and the use of plants by designers such as The Netherlands' Piet Oudolf and ecologist-horticulturalists such as Germany's Richard Hansen. However the British general public, who still sometimes betray a rather philistine and chauvinistic attitude to 'art', are less impressed by good overall design than by quality planting.

Now that Britain is so much closer to the European mainland, it is possible to see a dialectical relationship developing, with the influence of continental design principles going one way and the living products of the extremely vigorous British nursery industry going the other. Amateur gardeners have a role to play here, as it is often they who are the innovators in the use of new plants, and perhaps more than anywhere else in Europe, non-professionals can have a major influence on the direction of garden art. Indeed, to really understand the current garden design scene here, it is arguably as important to see private owner-designed gardens as it is professional ones.

Noel Kingsbury

Voorwoord

Niemand komt naar Groot-Britannië voor het eten of het weer, maar wel voor onze tuinen en precies ons natte weer is voor een groot deel verantwoordelijk voor hoe de Britse tuinen er uitzien. Met veel regen en een gematigde temperatuur kan hier een enorme variatie aan planten goed gedijen. Dat verklaart meteen waarom de Britse tuinontwerpen altijd gericht geweest zijn op planten, veel meer dan in andere tuinculturen. In Groot-Brittannië hebben we zelfs een speciaal woord voor plantenkenners: 'plantsmen'. De grote variatie aan erfgoedtuinen weerspiegelt niet alleen een schommeling tussen vormelijkheid en ongedwongenheid, maar biedt ook een creatief antwoord op de verschillende introducties van nieuwe planten door de eeuwen heen.

In de ontwikkeling van de hedendaagse tuin is ons erfgoed echter bijna een belemmering geweest. In een maatschappij die nog steeds een meer feodaal karakter heeft dan andere landen in Europa werd de 'tuinmode' vele jaren gedomineerd door de hogere standen en de aristocratie. Bovendien had de moderne beweging slechts een beperkt effect op de Britse tuin, hoewel twee tuinarchitecten in dit boek, John Brookes en Anthony Paul, al jaren dapper moderne tuinen ontwerpen. Hoewel er tijdens de laatste vijftig jaar veel fantastische tuinen gemaakt werden, zijn er maar weinig die echt innoverend waren. In plaats daarvan werden de klassieke thema's telkens opnieuw herwerkt.

Maar nu heeft het Britse tuinontwerp zich eindelijk bevrijd van de typische plattelandstuinen! Dit boek toont aan dat hedendaagse thema's nu echt impact hebben. Een jongere generatie van ontwerpers dient zich aan en gebruikt gedurfde vormen en nieuwe materialen. Tuinontwerp als beroep heeft een enorme expansie ondergaan. Er zijn niet alleen meer mensen die de job uitoefenen, maar ook veel meer mogelijkheden voor het publiek om het ontwerpen in de praktijk te bekijken. Nationale en regionale bloemenshows hebben bijna altijd 'show'tuinen, speciaal ontworpen voor de gelegenheid. Ook de tuinprogramma's op televisie gaan nu over tuinontwerp en -aanleg in plaats van over de kunst van het tuinieren, zoals vroeger. Een nieuwe tendens is de enorme belangstelling voor de cross-over tussen tuinontwerp en kunst – met één nationale show (in het Westonbirt Arboretum in Gloucestershire), geïnspireerd op het jaarlijkse Franse tuinfestival in Chaumont-sur-Loire.

Aangezien tuinieren als hobby en als vak heel belangrijk is in Groot-Britannië is er een sterk bediscussieerde spanning tussen tuinieren en plantenkennis aan de ene kant en ontwerp aan de andere kant. Het is moeilijk zich in te beelden dat dit debat ook elders nog zo sterk aan bod zou kunnen komen. De beste Britse tuinontwerpers bereiken over het algemeen een perfecte synthese van sterke ontwerpprincipes en een avontuurlijk en toepasselijk gebruik van planten. Dit kan je momenteel wellicht het best zien in de tuinen met exotische planten uit het zuidelijke halfrond, die uiteraard floreren in ons milde klimaat.

Ook het hedendaagse tuinontwerp in de rest van Europa heeft een erg belangrijke invloed gehad op de Britse ontwerpen, zowel qua gebruik van harde materialen en van ruimte door landschapsarchitecten als door het gebruik van planten door ontwerpers zoals de Nederlandse Piet Oudolf en door ecologen-hoveniers zoals de Duitse Richard Hansen. Toch is het grote Britse publiek, dat soms nog altijd een Filistijnse en chauvinistische houding heeft ten opzichte van kunst, vaak minder onder de indruk van een totaalontwerp dan van de kwaliteit van de beplanting.

Nu Groot-Brittannië zo dicht gekomen is bij het Europese vasteland kan je een wederzijdse relatie zien ontstaan: de invloed van de ontwerpprincipes van het Europese vasteland naar Groot-Brittannië toe en het verschepen van de planten van de dynamische industrie van de Britse kwekerijen in de omgekeerde richting. Amateurtuiniers spelen hierin ook een rol, want zij zijn dikwijls de vernieuwers in het gebruik van nieuwe planten. En hier in Groot-Brittannië kunnen de niet-professionelen een belangrijke invloed hebben op de ontwikkeling van de tuinkunst – misschien meer dan in de rest van Europa. Inderdaad, om het hedendaagse tuinontwerp in Groot-Brittannië beter te begrijpen is het wellicht ook belangrijk om de tuinen van de niet-professionelen te bekijken.

Noel Kingsbury

Mathew Bell

Mathew Bell Garden Design & Construction
47, St. James Lane
Muswell Hill
London NIO 3DA
*44 208 444 3381
*44 208 444 3381
matbell@btinternet.com
www.mygardens.co.uk

PHOTOGRAPHERS / FOTOGRAFEN

Mathew Bell
47, St. James Lane
Muswell Hill
London NIO 3DA
*44 208 444 3381

Dominic Whiting
70, Mornington Crescent
London
NWI 7QE
*44 7951 722 236

TRAINING / OPLEIDING
1983: BA honors, Graphic design
1995: Garden design and planting, Capel Manor

AWARDS, MEMBERSHIPS / PRIJZEN, LIDMAATSCHAPPEN
1995: Royal Horticultural Society, Chelsea Flower Show, gold medal
1999: Full membership of Society of Garden Designers

MAJOR REALISATIONS / BELANGRIJKSTE REALISATIES
Specialising in mainly urban gardens both private and commercial, many projects covering all areas of South-East England
Ongoing projects:
Atlantic house, roof garden for a law firm. Somewhere relaxing but contemporary for visitors and employees to enjoy.
Stratford, design of a sensory garden for an organisation which provides support for single mothers.
Cambridge, large private garden for a client with a child with physical disabilities.
Many other projects at different stages of development.

8-11 Atlantic House, London EC1

Lightweight materials in a contemporary setting create a break out area for employees and clients to relax and entertain. Located on the 11th floor, plants had to be chosen for their durability, long flowering season and structure.

Lichte materialen in een hedendaagse sfeer creëren een aangename omgeving waar werknemers en klanten zich even kunnen ontspannen. De planten voor deze tuin op de 11de verdieping werden gekozen in functie van hun sterkte, lange bloeiperiode en opvallende vorm.

12-13 Compagne gardens, London NW5

Industrial materials and the architectural use of plants compliment the natural setting of this London town house.

De natuurlijke omgeving van deze Londense stadswoning wordt aangevuld met industriële materialen en het architecturale gebruik van planten

14-15 Forbes House, Ham, London

The extensive formal grounds surrounding these classical buildings are divided into smaller themed gardens. These radiate from a large central lawn.

De uitgebreide, formele terreinen zijn onderverdeeld in kleinere, thematische tuinen, die rond het grote, centrale gazon gegroepeerd liggen.

16-17 Dunnerly Cottage, Hampshire

This river valley was transformed into a natural haven of lakes, parks and wild flower meadows. Native species and informal planting create the perfect escape from city life.

Deze riviervallei werd omgetoverd tot een natuurlijke oase van meren, parken en wilde bloemenvelden. Informele beplanting en inheemse soorten planten creëren de perfecte vlucht uit het stadsleven.

18 Elsworthy Road, London NW3

Bold foliage mixed with native plants transformed this shady garden overlooking one of London's natural parks.

De opvallende loofbomen zorgden samen met de inheemse planten voor een volledige transformatie van deze schaduwrijke tuin, die uitkijkt over één van de natuurlijke parken van Londen.

19 Hemmingford Road, London N1

A formal town garden is softened with grasses and perennials. A covered seat acts as a focal point to enjoy the sound of the water feature and house beyond.

Een formele stadstuin werd zachter gemaakt door de aanplanting van grassen en heesters. Een overdekte bank trekt de aandacht. Van hier uit kan je genieten van het waterornament en het huis erachter.

John Brookes

Clock House
Denmans, Fontwell
Near Arundel
West Sussex
*44 1243 542 808
*44 1243 544 064
jbrookes@denmans-garden.co.uk
www.denmans-garden.co.uk

PHOTOGRAPHERS / FOTOGRAFEN
John Brookes
Clock House
Denmans, Fontwell
Near Arundel
West Sussex
*44 1243 542 808

Jerry Harpur
44, Roxwell Road
Chelmsford
Essex
CM1 2NB
*44 1245 257 527

TRAINING / OPLEIDING
Apprentice Nottingham Parks Department
University College, London
Offices of Brenda Colvin, Dame Sylvia Crowe

AWARDS / PRIJZEN
1971, '72, '73, '76 Royal Horticultural Society, Chelsea Flower Show,
gold medal
1975 European Heritage year Awards (twice)

MAJOR REALISATIONS / BELANGRIJKSTE REALISATIES
1987: Fellow of Society of Garden Designers
1988: Prix St Fiacre, France
1992: Quill & Trowel Award of Excellence, US
1992: Garden Writers Association of America Award
2002: Garden Writers Guild Enthusiasts book of the year

20-23 New England Estate, USA / *Landgoed in New England, USA*

Under an enormous existing copper beech (*fagus sylvatica purpurea*) a terrace with mixed borders takes the eye back to the house. An existing swimming pool and pool house looks to a mountain view beyond. A fountain pool pinpoints the eye beyond the structure. Foreground planting beneath old sugar maples is for winter with stems and berried interest.

Onder een enorme bruine beuk (fagus sylvatica purpurea) focust een terras met gemengde borders de aandacht op het huis. Een bestaand zwembad en bijhorend huisje kijken uit op de bergen verderop. Door een klein meertje met een fontein wordt de aandacht getrokken naar het gebied achter de tuin. Aan de voet van de suiker-ahornen staan planten die in de winter zorgen voor interessante stengels en bessen.

24-25 Chicago Botanic Gardens, English Walled Garden / *Engelse ommuurde tuin*, USA

Completed over ten years ago this walled garden (the only English Walled Garden within the Chicago Botanic Gardens) was designed to show elements of a traditional English garden to the public. Steps lead up from a sunken garden to a formal garden, which is dedicated to daisy type flowers. There is a herb and vegetable garden beneath the old apple trees.

Meer dan tien jaar geleden werd deze ingesloten tuin (de enige English Walled Garden in de botanische tuinen van Chicago) ontworpen om de elementen van een traditionele Engelse tuin aan het publiek te tonen. Vanuit een lager gelegen tuin brengen trappen je in een formele tuin, die volledig gewijd is aan soorten margrieten. Onder de oude appelbomen ligt een kruiden- en groentetuin.

26-29 Ecclesden Manor, Angmering, West Sussex

This is the garden to a 17th century house. I wanted my design to acknowledge historical precedence while at the same time introducing an element of modernity. A canal runs down one side of the formal garden leading to a small brick tower. A brick and stone terrace ties the water back to the house. Beyond the garden a lake has been constructed onto which the tower looks.

Met dit tuinontwerp voor een 17de eeuws landgoed wordt de historische voorgeschiedenis benadrukt en tezelfdertijd een modern element geïntroduceerd. Aan één kant van de formele tuin loopt een kanaal naar een kleine stenen toren die uitkijkt over een aangelegd meer. Een terras in natuursteen linkt het water met het huis.

30-31 Pine Cottage, Rackham, West Sussex

Pine Cottage used to sit proud of its site though with an amazing wetland view. The client wanted to bring the wildlife from the existing wetland into the site and ponds were dug, planted around with native damp loving species to marry the whole together.

Oorspronkelijk keek Pine Cottage trots uit over een fantastisch moerasgebied. De klant wilde de dieren van het bestaande moerasgebied in zijn tuin lokken en daarom werden er vijvers gegraven. Om het geheel af te werken werden rond de vijvers vochtbestendige planten aangeplant.

Douglas Coltart

Viridarium
21, Deacons Place
Girvan
Ayrshire
Scotland KA26 9BZ
*44 1465 811 118
*44 1465 811 118
douglas@viridarium.co.uk
www.viridarium.co.uk

PHOTOGRAPHER / FOTOGRAAF
Douglas Coltart
21, Deacons Place
Girvan, Ayrshire
Scotland
KA26 9BZ
*44 1465 811 118

TRAINING / OPLEIDING
1990: B.A. Honours Landscape Architecture
2001: Masters in Business Administration, Glasgow Caledonian
University

AWARDS, MEMBERSHIPS / PRIJZEN, LIDMAATSCHAPPEN
1993, 1994: Royal Horticultural Society, Chelsea Flower Show, gold
medal, silver Gilt medal
1993: World Orchid Conference (Gold)
1996, 1997: Royal Horticultural Society, Hampton Court (gold and
silver medal)
2003: Dynamic Place Award, Scotland, for Dalmilling, Ayr, Project
Membership of the Landscape Institute (1993), the Institute of
Management (1996), the Society of Garden Designers (2001) and of
the Institute of Learning and Teaching within Higher Education (2002).

MAJOR REALISATIONS / BELANGRIJKSTE REALISATIES
Devised and lectures on Scotland's only Nationally validated Garden
Design Course, based in Ayr
Judges at National events
Guest designer on the BBC's 'Beechgrove Garden', with articles on
radio and in magazines on related topics

32-35 Helensburgh Garden

A sheltered seating area was created in this seafront garden with the construction of a curved stone wall. Curved paths have been used to link the entire garden together allowing the users to flow easily to all areas of the garden.

In deze tuin aan de rand van de zee werd een beschutte zitplaats gecreëerd door de constructie van een ronde, stenen muur. De golvende paden, die de verschillende delen van de tuin met elkaar verbinden, zorgen ervoor dat je gemakkelijk elke hoek van de tuin kan bereiken.

36-37 Paisley Roof Garden

A previously windswept garden has been transformed with the introduction of robust planting, which encircles a deck area. The flowing lines of the deck were inspired by Paisley Pattern design, which increases the feeling of space and interest.

Vroeger was dit een winderige tuin, maar dit werd compleet veranderd door de aan-planting van robuuste planten rond de terrasruimte. De golvende lijnen van het terras (geïnspireerd op het Paisley-patroon) laten de ruimte groter ogen en zorgen voor een interessante toets.

38 Scotstoun Leisure Centre Civic Space

An impressive fountain is flanked by two stepped cascades. The paved area is a tapestry of colours which have been achieved with the use of slate, granite and concrete slabs.

In deze tuin wordt een indrukwekkende fontein geflankeerd door twee watertrappen. De ruimte er rond is heel kleurig. Dit effect wordt bereikt door het gebruik van leisteen, graniet en betonnen stenen.

39-41 Hazeltonhead Garden

Three interlocking circular stone walls have enclosed a snaking path which was designed to entice the owners out into this previously un-used space. Herbaceous perennials have been used to contrast with the strong lines of the garden framework.

Drie verstrengelde, cirkelvormige, stenen muren omarmen een kronkelend pad, dat ontworpen werd om de eigenaars in de voorheen ongebruikte delen van hun tuin te lokken. Kruidachtige planten worden gebruikt als contrast met de sterke lijnen van het tuinontwerp.

42-43 Girvan Valley Garden

Stunning views were complemented by a simple design that allows the garden to blend into the surrounding landscape. Repeating circular elements such as the patio, arbour and water feature are linked by linear paths to provide an overall framework.

Dit eenvoudige ontwerp vult perfect de indrukwekkende vergezichten aan. De tuin vormt hierdoor een perfecte harmonie met het landschap. De steeds terugkerende cirkelvormen zoals het terras, het prieeltje en de fontein vormen samen met de sterke, lineaire paden een krachtige structuur.

Sally Court

Courtyard Garden Design
26, Algar Road
Old Isleworth
Middx TW7 7AG
*44 20 8568 5263
*44 20 8568 4503
courtyardgardendesign@btinternet.com

PHOTOGRAPHERS / FOTOGRAFEN
Nicola Stocken Tomkins   Sally Court
Kenwoord, Seven Hills Road   26, Algar Road
Cobham   Old Isleworth
Surrey   Middx
KT11 1ER   TW7 7AG
*44 1932 860 433   *44 20 8568 5263

TRAINING / OPLEIDING
1988: Inchbald School of Design: diploma in Garden Design
1995: Society of Garden Designers: registered member

AWARDS, MEMBERSHIPS / PRIJZEN, LIDMAATSCHAPPEN
2002: Society of Garden Designers: fellow
1991, 1992, 1994, 1996, 2002, 2003: RHS AWARD

MAJOR REALISATIONS / BELANGRIJKSTE REALISATIES
started 1992, ongoing: 45 acre domestic garden, W. Sussex
started 1995, ongoing: 11 acre domestic garden, W. Sussex
started 1996, ongoing: 11 acre domestic garden, Essex Coast
2001: Roof garden, domestic, Central London
2003: Community garden, Friends Meeting House, Uxbridge
2003: Domestic garden, Kew, London
2003: Domestic garden restoration, Central London (Georgian)
2003: Domestic garden restoration, Sandwich, Kent (Tudor)
2003: Domestic garden restoration, Central London (Grade 1 Listed House)
various years: Show gardens, RHS Hampton Ct. Palace

44-47   Essex cottage / *Een plattelandswoning in Essex*

A traditional cottage in a windswept corner of England required a sympathetic approach to the design. Natural stone was used for the hard landscaping combined with huge borders of mixed perennials and cottage style shrubs to form lush boundaries that could withstand the gusts of wind. A traditional rose garden filled with David Austen's English Roses has been set inside a hedge of hornbeam to provide protection from the winds.

Een typisch plattelandshuisje in een winderige hoek van Engeland vroeg een passend ontwerp. Om duidelijke lijnen te creëren werd er natuursteen gebruikt, gecombineerd met enorme gemixte borders en typische struiken om weelderige grenzen te vormen, die de wind konden tegenhouden. David Austins Engelse rozen vullen een klassieke rozentuin die omringd is door beukenhagen en zo beschermd is tegen de wind.

48-49   Surrey Farmhouse / *Boerderij in Surrey*

A summerhouse painted in sugar-almond colours is enclosed by hedges and borders filled with roses underplanted with hosta's. Roses trained over metal frames also create arbours and secret corners.

Een amandelkleurig tuinhuisje is ingesloten door hagen en borders vol rozen en hosta's. Door de rozen over metalen frames te leiden, werden ook prieeltjes en geheime hoeken gecreëerd.

50-53   West Sussex country estate / *Landgoed in West Sussex*

The garden is set on a hill looking down over a valley towards wooded hills in the distance. A stream runs through the valley into a man-made lake which has allowed us to plant architectural plants to create drama in the hollows. Five large 'grass beds' with a mix of herbaceous perennials and varieties of giant grasses form a link between the mown grass paths and the wild flower and grass meadows.

Deze tuin ligt op een heuvel en kijkt uit over een vallei met op de achtergrond beboste heuvels. Door de vallei loopt een riviertje dat uitmondt in een kunstmatig meer. Het gebruik van architecturale planten zorgt voor impact op de diepten er rond. Vijf grote grasoppervlakten met een mix van kruidachtige planten en verschillende enorme grassoorten verbinden de gemaaide graspaden met de wilde bloemenweiden.

54-55   London terraced house / *Rijhuis in London*

A small town garden filled with architectural plants brings much needed privacy to this courtyard. Birds are encouraged to come to this garden; a Victorian bird bath is one of the many surprising artefacts to be found hidden in the undergrowth.

De architecturale planten vormen deze binnenplaats om tot een kleine stadstuin met de nodige privacy. Vogels worden verwend in deze tuin; een Victoriaans vogelbadje is slechts één van de vele verrassingen die zich tussen de planten verbergt.

Julian Dowle

Julian Dowle Partnership
The Old Malt House
Newent
Gloucestershire
GL17 1AY
*44 1531 820 512
*44 1531 822 421
enquiries@juliandowle.co.uk
www.juliandowle.co.uk

PHOTOGRAPHER / FOTOGRAAF
Julian Dowle
The old malt house
Newent
Gloucestershire
GL18 1AY
*44 1531 820 512

TRAINING / OPLEIDING
1958: Kent Horticultural College

AWARDS, MEMBERSHIPS / PRIJZEN, LIDMAATSCHAPPEN
1990-1991: BALI (British Association of Landscape Industries),
principal awards
Royal Horticultural Society, Chelsea Flower Show, 10 gold medals,
10 silver gilt, 4 silver medals
2002: Designer of BBC / RHS People's Choice Award Chelsea
Flower Show
Full Membership of Society of Garden Designers

MAJOR REALISATIONS / BELANGRIJKSTE REALISATIES
Complete garden design for Oxfordshire Manor House
Redesigning Manor House gardens, near Bath
Rural Business Park Landscaping, Northamptonshire
Japanese gardens in Worcestershire, London and Dorset
English gardens in Kentucky and California USA, Japan and
New Zealand

56-59 Vale of Evesham, Worcestershire

The Japanese garden (within the main garden) co-designed by Julian Dowle and Koji Ninomiya, faces away from the view and into a beech wood, creating a sense of intimacy and enclosure. Truly a garden where East and West meet in perfect harmony.

Deze Japanse tuin, gelegen binnenin de hoofdtuin en ontworpen door Julian Dowle en Koji Ninomiya, verlegt de aandacht van het uitzicht naar het beukenbos. Op deze manier wordt er een soort intimiteit en beslotenheid gecreëerd. Een tuin waarin Oost en West in perfecte harmonie samengebracht worden.

60-61 A Clover Mill in Worcestershire / *Een molen in Worcestershire*

The garden to go with this historic old mill had to be really sympathetically thought through, using old materials and traditional plantings. This garden reflects and celebrates its history, but is unquestionably a gardeners' garden.

De ideale tuin passend bij deze historische, oude molen, moest perfect uitgedacht worden. hij moest gebruik maken van oude materialen en traditionele beplanting. Deze tuin weerspiegelt en viert dan ook deze geschiedenis, maar blijft ontegensprekelijk een ontwerp van een tuinarchitect.

62-65 An Oxfordshire Manor House / *Een herenhuis in Oxfordshire*

A 'make-over' on the grand scale, this garden was entirely redesigned in the 1980s. The lake, which was formerly a pony paddock, uses stone excavated from the site to create this dramatic cascade. By designing the timber pergola on stone columns, and the stone façade and wall fountain, the swimming pool is hidden from view, replaced by a classical formal garden. The gazebo on the far side of the lake gives an invitation to stop and sit and meditate, whereas the boxing hares are just pure fun.

Deze tuin werd volledig opnieuw ontworpen in de jaren tachtig. In het meer, dat voordien een ponyweide was, werden uitgegraven stenen gebruikt om de dramatische waterval te creëren. Door de houten pergola bovenop de stenen zuilen en door de stenen façade met muurfontein wordt het zwembad aan het oog onttrokken. De aandacht gaat nu uit naar een klassieke, formele tuin. Het tuinhuisje aan de andere kant van het meer nodigt uit om er even te gaan zitten en mediteren, terwijl de boksende hazen gewoon leuk zijn.

66-67 A Tudor House in Herefordshire / *Een Tudor huis in Herefordshire*

In this garden we used the warmth and protection of the old redbrick walls to shelter and grow some usually tender plants. Designed on formal classical lines this garden includes extensive herbaceous borders, fishpond, iris garden, lawns and espalier fruit. Outside the walls, the adjoining meadow is permitted to encroach, with its richness of wild flowers, making the garden room a delectable summer retreat.

In deze tuin werden de warmte en de bescherming van de oude, bakstenen muren gebruikt om tere plantjes te beschermen. De tuin werd ontworpen op basis van formele, klassieke lijnen en bevat ruime borders met kruidachtige planten, een visvijver, gazons en fruitbomen. De weide die buiten de muren ligt, overschrijdt vaak de grenzen en maakt de tuinkamer, door haar rijkdom aan wilde bloemen tot een verrukkelijke schuilplaats in de zomer.

Andrew Fisher Tomlin

74, Sydney Road
Wimbledon
London
SW20 8EF
*44 20 8452 0683
*44 20 8542 0683
a@andrewfishertomlin.com
www.andrewfishertomlin.co.uk

68-73 Walden, St George's Hill, Surrey

The design for this traditional Arts & Crafts residence uses materials such as Portland stone and green oak in keeping with the original building. Planting mixes old and new varieties of plant species to bring the garden up to date.

Het ontwerp voor deze typische Arts & Crafts woning maakt gebruik van Portland kalkstenen en groene eik, materialen die goed passen bij het gebouw. De combinatie van oude en nieuwe plantenvariëteiten brengt de tuin helemaal up to date.

74-75 The Old Orchard, Hampton Wick, Surrey

The purchase of a historic but derelict site led to the restoration of this overgrown orchard. Wildflowers, extensive new tree planting and water have created a haven for wildlife and for the owners

De nieuwe eigenaars van een verwaarloosde, maar historische hofstede lieten deze overwoekerde boomgaard volledig restaureren. Wilde bloemen, water en de uitgebreide heraanplanting van bomen creëerden een paradijs voor mens en dier.

76-77 The Powell Garden, Putney

Imaginative planting and the use of reclaimed materials have created a garden that looks as old as the home it was built for. A low box hedge, roses and espaliered fruit trees create the air of an old English garden.

Originele beplanting en het hergebruik van oude materialen hebben een tuin gecreëerd die er zo oud uitziet als het huis waarvoor hij ontworpen werd. Een lage buxushaag, rozen en spalierbomen roepen de sfeer op van een oude Engelse tuin.

78-79 Hobbs Courtyard, London / *De Hobbs binnentuin, London*

A small urban space was ideal for a quiet courtyard garden with a relaxing pool and muted reclaimed materials. Planting was chosen for the dappled shade, for fragrance and relaxation.

Een kleine oppervlakte in de stad was de ideale plaats voor een rustige binnentuin met een waterbekken en onopvallende, hergebruikte materialen. De rustgevende beplanting zorgt voor een beetje schaduw en aangename geuren.

PHOTOGRAPHERS / FOTOGRAFEN

Stuart Wheeler	Micaela Cianci	Andrew Fisher Tomlin
29, Rosecourt Road	49, Rushett Close	74, Sydney Road
Croydon	Thames Ditton	Wimbledon
Surrey	Surrey	London
CRO 3BS	KT7 OUT	SW20 8EF
		*44 20 8452 0683

TRAINING / OPLEIDING
1991-1995: Askham Bryan Horticultural College, HND Horticulture
1995-1996: The University of Leeds, BSc. Hons. Landscape & Horticulture

AWARDS, MEMBERSHIPS / PRIJZEN, LIDMAATSCHAPPEN
1996: Armes Research Prize, University of Leeds
1996: Royal Horticultural Society, Chelsea Flower Show, Medal
2000: British Association of Landscape Industries (BALI), National Landscape Awards
2001: BALI National Landscape Awards, award for a private garden
2002: BALI National Landscape Awards, principle award for a private garden
2002: BALI National Landscape Awards, second award for a private garden

MAJOR REALISATIONS / BELANGRIJKSTE REALISATIES
Recent commissions include private gardens in Europe and North America for individuals and other bodies including The Hall School Wimbledon (2000-2002) and public spaces for The London Borough of Greenwich at Charlton House, London (2003) and Harwoods Jaguar Cars, Chichester (2002).
Full membership of Society of Garden Designers

Duncan Heather

Duncan Heather & Associates
Greystone
Colmore Lane
Kingwood
Henley-on-Thames
Oxon
RG9 5NA
*44 1491 628 972
*44 1491 628 971
info@garden-design.org
www.garden-design.org

PHOTOGRAPHER / FOTOGRAAF
Duncan Heather
Greystone, Colmore Lane
Kingwood, Henley-on-Thames
Oxon
RG9 5NA
*44 1491 628 972

TRAINING / OPLEIDING
1983-84: Art College
1984-85: Horticultural College
1987: Set up Design/Build Company
1989-1991: Design assistant to John Brookes

AWARDS, MEMBERSHIPS / PRIJZEN, LIDMAATSCHAPPEN
Royal Horticultural Society, 5 times Medallist
5 gold, 1 silver and 1 bronze medal and 3 Best of Show awards
Full member of Society of Garden Designers
Full member of the Association of Professional Landscape
Designers (USA)

MAJOR REALISATIONS / BELANGRIJKSTE REALISATIES
1992: Established the Oxford College of Garden Design
2000: Set up course accredited to post graduate level by Oxford
Brookes University

80-83 Furzbush, 19th Century cottage set in 4 acres /
Negentiende-eeuwse boerderij op een domein van 16000 m²

A sloping garden set on the top of the Chiltern Hills. I worked closely with the client's architects, advising on the position of tennis court and swimming pool. The main garden was originally laid to lawn and surrounded by trees and hedging to provide wind protection. The gardens were planted up in a very naturalistic mix of herbaceous perennials and grasses to make the most of the exposed location and a new walled garden created for the swimming pool.

Een glooiende tuin op de top van de Chiltern Hills. Ik werkte nauw samen met de architect van het huis en gaf advies over de plaatsing van het tennisveld en het zwembad. De hoofdtuin was oorspronkelijk in gazon gelegd en omgeven door bomen en hagen om bescherming te bieden tegen de wind. De tuinen werden heraangelegd met een natuurlijke mix van kruidachtige planten en grassen om de prachtige locatie zoveel mogelijk tot haar recht te laten komen. Er werd ook een nieuwe, ommuurde tuin gecreëerd voor het zwembad.

84-87 Greystone, Modern Architect designed house set in 2 acres /
Het moderne huis van de architect op een oppervlakte van 8000 m²

My own home, Greystone, represents a marriage between old and new, architecture and nature, from walled 'potager' to modern deck and sunny border to woodland pond. It's a reflection of my own design philosophy of simplicity of design and linking house with garden. It shows my love of perennial plants and my appreciation of light.

Mijn eigen huis, Greystone, vormt een geslaagd huwelijk tussen oud en nieuw, architectuur en natuur, van ommuurde groentetuin over het moderne terras en de zonnige borders tot de vijver. Deze creatie weerspiegelt mijn eigen ontwerpfilosofie: eenvoud in ontwerp en een overeenkomst tussen huis en tuin. Het toont mijn liefde voor jaarplanten en licht.

88-91 Rectory Farm, 1970's brick build house set in approximately ½ acre /
Bakstenen huis uit 1970 op een domein van ongeveer 2000 m²

Set in the Berkshire countryside, the house is situated at the bottom of a valley overlooking fields to the front and woodland to the rear. The garden climbs gently from front to back, with the rear of the house being north facing. The clients had two main requirements: to make the most of the views and to provide a children's play area. The fields were only visible to the side of the house, so I decided to place the main terrace and planting beds to take advantage of these and leave the rest of the garden as lawn for the children.

Dit huis op het platteland van Berkshire ligt beneden in een vallei. De tuin wordt geleidelijk aan hoger naar de bossen aan de achterkant van het huis toe, in noordelijke richting. De klant stelde twee belangrijke voorwaarden: de vergezichten zo veel mogelijk benutten en een plaats creëren waar de kinderen kunnen spelen. De velden waren enkel te zien aan de zijkant van het huis en dus besliste ik om het hoofdterras en de bloembedden daar te plaatsen en van de rest van de tuin maakte ik een gazon voor de kinderen.

Anthony Paul

Black & White Cottage
Standon Lane
Ockley
Surrey
*44 1306 627 677
*44 1306 627 662
apaul1945@aol.com

PHOTOGRAPHERS / FOTOGRAFEN

Michael Paul
31, Melville Road
London
SW13 9RH
*44 20 87 486 063

Ron Sutherland
c/o the Garden Picture
Library
Unit 15, 35 Ransome's Dock
London SW11 4NP
*44 20 72 284 332

Anthony Paul
Black & White Cottage
Standon Lane
Ockley
Surrey
*44 1306 627 677

TRAINING / OPLEIDING
Self-taught – school of life

AWARDS, MEMBERSHIPS / PRIJZEN, LIDMAATSCHAPPEN
Civic Trust Award
Fellow of Society of Garden Designers

MAJOR REALISATIONS / BELANGRIJKSTE REALISATIES
Written three books on Garden Design
IBM Portsmouth office garden
Nine individual private gardens, Switzerland
Four Seasons Hotel, Cypres
Hertfordshire manor house
2002: Brighton University two major gardens
2002: Royal Brompton Hospital, small courtyard garden
for patients and staff
2003: Private garden, Provence, France
2003: Contemporary swimming pools and gardens, Surrey

92-95 Lenz Garden, Horw, Switzerland

Switzerland is all about landscape, mountains, lakes and amazing skies. The elements of water, sky and reflection blend to give & intrigue. Large drifts of grasses give late summer colours and rain filled skies reflect in my ponds. Nature does the work I arrange: the stage and the scenery gets put in the background by a larger hand than mine.

Zwitserland is een land van bergen, meren en fantastische landschappen onder een indrukwekkende hemel. De elementen water en lucht staan in fascinerende weerspiegelingen met elkaar in relatie. Deinende grassen hebben de kleur van late zomers en mijn vijvers weerspiegelen de lucht vol regen. Ik gebruik enkel het podium voor het werk van de natuur: de enscenering is het werk van een kracht die groter is.

96-99 Tony Stone Garden, Provence, France

This garden is part of a bigger picture. I love to design my gardens as whole look. Part of landscape where borrowed scenery gives presence and credibility to my design. Lavenders are painted into the sets on mass, as there are limited colours always on my palette. There is no room here for sissy pretty English flowers.

Deze tuin maakt deel uit van een groter geheel. Ik hou ervan om mijn tuinen te ontwerpen in harmonie met de natuur. De omgeving die ik kan lenen bezorgt mijn tuinen een grotere geloofwaardigheid. Massa's lavendel kleuren deze tuin, want ik gebruik meestal weinig verschillende kleuren in mijn ontwerpen. Hier is geen plaats voor flauwe, Engelse bloemen.

100-101 Binzer Garden, Bay of Islands, New Zealand

Native New Zealand grasses and plants have been my passion since my childhood. This hot, windy garden is designed around textures and surfaces. Grasses are placed in walls and fill pots especially designed for the garden. Water divides the spaces which have their characters defined by the textures of the plants and stones I have used.

Al sinds mijn kindertijd was ik gepassioneerd door inheemse grassen en planten van Nieuw-Zeeland. Deze warme, winderige tuin heb ik ontworpen rond texturen en oppervlakten. Grassen groeien tegen muren en in potten speciaal ontworpen voor deze tuin. De verschillende ruimtes worden verdeeld door water en het karakter van elke ruimte wordt bepaald door de texturen van de gebruikte planten en stenen.

102-103 'The Witness' A garden for Westonbirt International Garden Festival 2003 /
Een tuin voor Westonbirt International Garden Festival 2003

This garden called 'The Witness' is about restraint and fixing the garden in the landscape. Here I tried to explore how little you physically need to use in order to create a garden which will have strong geometry and bold form. The metal figurative sculptures are by sculptor Rick Kirby and the *Alliums* by artist Ruth Moilliet. The oak benches are designed by myself.

Het ontwerp van deze tuin, 'de getuige', is gebaseerd op ingetogenheid en het inpassen van de tuin in het landschap. Hier probeerde ik met een minimum aan materiaal een sterk geometrische en krachtige tuin te ontwerpen. De metalen figuratieve sculpturen zijn van de hand van Rick Kirby en de Alliums *werden ontworpen door artieste Ruth Moilliet. De eiken banken heb ik zelf ontworpen.*

Debbie Roberts

Acres Wild Ltd.
110, High Street
Billingshurst
West Sussex
RH14 9QS
*44 1403 785 385
*44 1403 785 385
enquiries@acreswild.co.uk
www.acreswild.co.uk

PHOTOGRAPHER / FOTOGRAAF
Ian Smith
110, High Street
Billingshurst
West Sussex
RH14 9Q5
*44 1403 785 385

TRAINING / OPLEIDING
1988: Leeds Polytechnic, BA Honours Degree in Landscape Architecture
Full membership of the Society of Garden Designers (MSGD)
Since 1988: director of Acres Wild Ltd (with Ian Smith)

AWARDS, MEMBERSHIPS / PRIJZEN, LIDMAATSCHAPPEN
1990: First Hampton Court Flower Show Trophy for Garden Design
1991: Business and Industry Commitment to the Environment Award
1991: Phoenix Award for Memorial Garden Design
1999: BALI (British Association of Landscape Industries) Principal
Award for a Domestic Garden

MAJOR REALISATIONS / BELANGRIJKSTE REALISATIES
The design of large domestic gardens at home and abroad
The design of cemeteries and memorial gardens
Teaching garden design/design process at various design schools
Author/illustrator of *Creating Garden Ponds and Water Features*
(HarperCollins 2001)

104-107 A lush water garden / *Een weelderige watertuin*

In this Sussex country garden, a low lying and damp area of lawn was replaced with an inspiring water garden to introduce light and movement and provide a setting for lush and architectural planting. The clean lines of the deck introduce a striking geometric element to contrast with the soft forms of moisture-loving plants.

In deze plattelandstuin in Sussex werd een laaggelegen en vochtig gazon vervangen door een inspirerende watertuin vol licht en beweging met plaats voor weelderige en architecturale beplanting. De scherpe lijnen van het terras vormen een opvallend, geometrisch element en contrasteren met de zachte vormen van planten die houden van vochtige gebieden.

108-109 An urban wild garden / *Een wilde tuin in de stad*

This garden for a company headquarters was designed to bring nature into the workplace, providing a place of quiet recreation for company employees. Simple, robust and natural materials are used to reflect the surrounding buildings, whilst the mix of native and selected garden plant varieties achieves a balance between 'wild' and 'garden'.

Deze tuin voor de hoofdzetel van een bedrijf werd ontworpen om de natuur in de werkruimte binnen te brengen om werknemers een plaats te bieden waar ze tot rust kunnen komen. De eenvoudige, robuuste en natuurlijke materialen weerspiegelen de gebouwen rondom, terwijl de mix van inheemse en geselecteerde plantvarianten een balans verkrijgen in de wilde tuin.

110-111 A large country garden / *Een grote plattelandstuin*

Here a previously neglected view to the Sussex Downs was carefully 'captured' by framing with trees and meadow-like plantings. Meandering lawns echo the undulating landscape and the colours and textures of late summer grasses and perennials effectively blur the boundary between the garden and meadows beyond.

Hier werd een voorheen verwaarloosd zicht op de Sussex Downs omkaderd door bomen en weideplanten. Kronkelende gazons weerspiegelen het golvende landschap. De kleuren en texturen van de late zomergrassen en planten doen de grens vervagen tussen de tuin en de velden erachter.

112-115 A sloping downland garden / *Een hellende tuin*

In this Downland garden, the elements of wind, sun and sea all strongly shaped the design. Sheltered seating spaces nestle amongst clipped pillows of planting to reflect both the wind-sculpted forms of coastal plants and the rolling landscape of the South Downs. As the seasons progress, the garden comes alive in a shimmering haze of jewel like colours provided by a palette of chalk loving, coastal plants.

In deze Downland tuin vormden de elementen wind, zon en zee de basis voor het ontwerp. Beschutte zitplaatsen nestelen zich tussen planten gesnoeid als kussens en weerspiegelen zo zowel de planten die gevormd zijn door de wind als het rollende landschap van de South Downs. Naarmate de seizoenen verstrijken komt de tuin tot leven in een glinsterende sluier van fonkelende kleuren, afkomstig van een pallet van kustplanten.

Ian Smith

Acres Wild Ltd.
110, High Street
Billingshurst
West Sussex
RH14 9QS
*44 1403 785 385
*44 1403 785 385
enquiries@acreswild.co.uk
www.acreswild.co.uk

PHOTOGRAPHER / FOTOGRAAF
Ian Smith
110, High Street
Billingshurst
West Sussex
RH14 9Q5
*44 1403 785 385

TRAINING / OPLEIDING
1988: Leeds Polytechnic, BA Honours Degree in Landscape Architecture
Full membership of the Society of Garden Designers (MSGD)
Since 1988: director of Acres Wild Ltd (with Debbie Roberts)

AWARDS, MEMBERSHIPS / PRIJZEN, LIDMAATSCHAPPEN
1990: First Hampton Court Flower Show Trophy for Garden Design
1991: Business and Industry Commitment to the Environment Award
1991: Phoenix Award for Memorial Garden Design
1999: BALI (British Association of Landscape Industries) Principal
Award for a Domestic Garden

MAJOR REALISATIONS / BELANGRIJKSTE REALISATIES
The design of domestic gardens at home and abroad
The design of school and office gardens
Teaching garden design/design graphics at various design schools
Garden illustration, visualisation and photography
Author/illustrator of *Creating Garden Ponds and Water Features*
(HarperCollins 2001)

116-121 A large country garden / *Een grote plattelandstuin*

The gardens of this newly built hilltop house in Surrey move from a controlled architectural style to a natural flowing feel. Water is used as a thread linking the formal and informal and is itself contained within fountains, rills and a formal reflecting pool, before running through streams and waterfalls to arrive in a lake designed to appear as though it had always been there.

De tuinen van dit nieuw gebouwde huis op een heuvel in Surrey gaan van een strakke en elegante, architecturale stijl over in een natuurlijke, vlotte stijl. We gebruikten water als rode draad en verbonden op die manier het formele en het informele met elkaar. Dit water komt voor in de fonteinen, beekjes en in een formele poel om via riviertjes en watervallen in een meer uit te monden, dat zo ontworpen werd dat het lijkt alsof het er al altijd geweest is.

122-123 An intimate family garden / *Een intieme familietuin*

Here the garden surrounding a family home was designed as a series of interlocking and intimate rooms, each with its own unique atmosphere. The garden is secluded from its surroundings and so each garden space draws its reference from the various rooms of the house, thus blurring the division between indoor and outdoor living.

Hier werd de tuin rond het huis ontworpen als een opeenvolging van verbonden en intieme kamers, elk met een eigen sfeer. De tuin is afgesloten van de omgeving en daardoor refereert elke tuinkamer aan één van de verschillende kamers in het huis. Op deze manier vervagen de grenzen tussen het leven in huis en erbuiten.

124-125 A rural water garden / *Een landelijke watertuin*

In this design, a bold contemporary house required a garden that would help it settle into the rural landscape. This was achieved by designing a natural watercourse, which culminates in a large semi-circular geometric pool, encompassed on two sides by the house itself.

Bij deze krachtige, hedendaagse woning moest een tuin ontworpen worden, die het huis kon verzoenen met de omgeving. Dit effect kregen we door het ontwerp van een 'natuurlijke' waterloop die uitmondt in een grote, half cirkelvormige, geometrische vijver die langs beide kanten door het huis geflankeerd wordt.

126-127 A city courtyard garden / *Een binnentuin in de stad*

This small garden in central London was conceived as an extra room, providing a space of calm tranquillity within the surrounding urban landscape. A polished basalt fountain forms a focus of sound and movement and contrasts with the textures of adjacent stone paving and planting.

Deze kleine tuin in hartje Londen werd opgevat als een extra kamer en werd een rustig toevluchtsoord midden in de stad. Een glanzende basaltfontein vormt het middelpunt van geluid en beweging en contrasteert met de stenen bevloering en de beplanting ernaast.

Andrew Wilson

Pockett Wilson Garden Design and Landscape Architecture
Laurel Cottage
12, Bridge Road
Chertsey
Surrey
KT16 8JL
*44 1932 56 36 13
*44 1932 56 32 93
info@pockettwilson.co.uk
www.pockettwilson.co.uk

PHOTOGRAPHERS / FOTOGRAFEN
Andrew Wilson
12, Bridge Road
Chertsey
Surrey
KT16 8JL
*44 1932 56 36 13

Colin Philp
39, St. Andrew's Square
Surbiton
Surrey
KT6 4EG
*44 20 8390 62 59

TRAINING / OPLEIDING
1979 - 1984: Manchester Metropolitan University, BA(Hons) and
Diploma in Landscape Architecture

AWARDS, MEMBERSHIPS / PRIJZEN, LIDMAATSCHAPPEN
2002: APL Award, Best Domestic Garden (Trivedi Garden, Weybridge)
Supreme Award (Trivedi Garden, Weybridge)
Fellow of Society of Garden Designers

MAJOR REALISATIONS / BELANGRIJKSTE REALISATIES
Former Chairman of Society of Garden Designers
Former Editor of Garden Design Journal
Former Vice Principal of Inchbald School of Design
1989 - 2003: Director of Garden Design Studies at Inchbald School of
Design
Judge for Show Gardens, RHS Chelsea and Hampton Court Flower Shows
Author and writer
Most recent book: *Influential Gardeners*, Mitchell Beazley, 2002.

128-133 Trivedi Garden, Weybridge, Surrey

The brief for this garden required a major new terrace, as part of the redevelopment of the central area of garden around the house. Coloured and textured concrete was used as the paving material with gravel between the sometimes huge slabs. The infinity edge reflective pool, stark architectural planting and rendered walls provide structure to the space and bold contrasts to the existing tall birch and pine boundary planting.

Voor het ontwerp van deze tuin vroeg de klant een enorm nieuw terras, dat deel zou uitmaken van de heraanleg van de centrale tuin rond het thuis. Gekleurd en ge-structureerd beton vormt gigantische rechthoekige straatstenen met grind die als voeg gebruikt wordt. Het aflopende waterbassin, de sobere architecturale beplanting en de bepleisterde muren geven de ruimte een strakke structuur en staat in fel contrast met de berken en dennen die oorspronkelijk al het terrein afbakenden.

134-135 Mills Garden, Twickenham

This is a typically small suburban garden outside London for a family who enjoy their leisure time out of doors. The main deck provides a sizeable space for dining, while the lawn and pool provide interest for play. The garden was simplified to a minimal level with the emphasis on horizontal line in order to create a feeling of space.

Dit is een typische kleine tuin in een Londense voorstad, geschikt voor een familie die haar vrije tijd graag buiten doorbrengt. Het hoofdterras is ruim genoeg om er te eten, terwijl het gazon en de vijver zorgen voor speelruimte. Het ontwerp van de tuin werd herleid tot een minimum en benadrukt de horizontale lijn, waardoor een gevoel van ruimte gecreëerd wordt.

136-137 Ducks Walk, Twickenham

There was no requirement for lawn in this garden with attention paid to paving, lighting and planting detail in both front and rear spaces. Planting was soft and lush supported by an ancient fig tree which was uplit as a feature. The Indian stone paving and limestone gravel were carefully matched to the interior terrazzo floor colour.

In deze tuin was een gazon overbodig. De nadruk ligt op de betegeling, verlichting en plantkeuze, zowel voor als achter het huis. De zachte en weelderige beplanting wordt ondersteund door een oude vijgenboom, die dankzij de belichting de aandacht trekt. De Indische steen en kalksteen grind werden zorgvuldig gekozen om te passen bij de kleur van de vloer binnenin.

138-139 Longcross Garden, Surrey

After resolving serious drainage problems in this garden, the large empty space needed to be structured as this was a new build project. The character of the landscape beyond the boundary was echoed in lines of yew hedging, the long terrace and the series of pools, each planted with different aquatics or marginals. The images show the garden prior to planting which principally consisted of grasses and perennials.

Nadat de verschillende, ernstige drainageproblemen in deze tuin opgelost werden, moest er structuur aangebracht worden in de enorme lege ruimte. Het karakter van het landschap buiten de tuin werd gereflecteerd in de lijnen van taxushagen, de lange terras en de serie vijvers, elke aangelegd met verschillende waterplanten of randbeplantingen. Op de foto's staat de tuin afgebeeld voor de beplanting met voornamelijk grassen en vorstbestendige planten.

John Wyer

Bowles & Wyer
3, Churchgates Church Lane
Berkhamsted
Hertfordshire
HP4 2UB
*44 1442 877 200
*44 1442 870 484
admin@bowleswyer.co.uk
www.bowleswyer.co.uk

PHOTOGRAPHER / FOTOGRAAF
Steven Wooster
41, Colin Gardens
London
NW9 6EL
*44 2082 013 280

TRAINING / OPLEIDING
1981: Manchester Polytechnic, BA Landscape Architecture
1983: Manchester Polytechnic, Dip. Landscape Architecture

AWARDS, MEMBERSHIPS / PRIJZEN, LIDMAATSCHAPPEN
1990: Election to Landscape institute
1996: BALI National Principal Award for Crosby Court, London
1996: Kensington Environment Award for Observatory Gardens, London
1996: Civic Trust Award for Observatory Gardens, London
1999: Winner of the London Squares Award for Earls Terrace, London
2000 / 2001: Evening Standard Best Residential Development for the
Pavilion Apartments, London
2001: Kensington Environment Award for Earls Terrace, London
2001, 2002: Association of Professional Landscapers Supreme Award
2002: Election to Society of Garden Designers
2003: BALI National Award and Design Build Award

MAJOR REALISATIONS / BELANGRIJKSTE REALISATIES
1995: Greenwich Park: Rose Gardens, Royal Parks
2000: Earls Terrace, Kensington, London
2000: Rose Square (The Bromptons), Fulham Road, London, Northacre Place
2002: 11/12 Thurlow Rd: Hampstead, Regime Ltd
2003: 552 Kings Rd: West London, private client
321-339 Finchley Road: Hampstead, Regime Ltd, ongoing project

140-147 Holford Road, Hampstead, London NW3

Bowles & Wyer worked closely with the architect (Koski Solomon Ruthven) throughout the design process and the resulting scheme has a synergy with the building giving a close integration between the built and open spaces. The point of this garden is that wherever you sit, you feel you're in the centre of the design - everything revolves around you. The lively energy of the design is balanced by the natural materials and tropical planting. Water feature designed in association with Andrew Ewing RA.

Voor dit ontwerp werkten Bowles & Wyer nauw samen met de architect (Koski Solomon Ruthven) en dat heeft tot gevolg dat de tuin een synergie is met het gebouw en dat er een grote integratie is tussen de bebouwde en de open ruimtes. De kerngedachte achter dit ontwerp is dat je van op elke rustplaats het gevoel hebt dat je je in het middelpunt van het ontwerp bevindt. De energie van het ontwerp wordt in balans gehouden door de natuurlijke materialen en tropische planten. De fontein werd ontworpen samen met Andrew Ewing RA.

148-149 Pavilion Apartments, St. Johns Wood, London / *Pavilion appartementen, St. Johns Wood, London*

This is a 1200m² roof garden built over a car park for an apartment block. The aim was to provide a design that was dynamic when viewed from above, but at the same time create a space that was restful and enjoyable to be in at ground level. The creamy coloured paving, natural timber and full planting offset the taut curves and geometry.

Dit dakterras is 1200 m² groot en werd gebouwd bovenop een parkeergarage voor een appartementsgebouw. Hierdoor is het ontwerp van bovenuit bekeken erg dynamisch en creëert het tegelijk een rustige ruimte op het gelijkvloers. De crèmekleuren van de terrastegels, het natuurlijke hout en de beplanting vormen een tegenwicht voor de strakke, gebogen lijnen en de geometrie.

150-151 115 Eaton Square, London SW1

This deep courtyard garden was designed with the principles of feng shui in mind. The simple shapes and colours lend a calmness to this scheme in which the only vibrant note is the brilliant red flank wall. A garden to be looked at.

Deze ruime binnentuin werd ontworpen met de principes van feng shui in het achterhoofd. De eenvoudige vormen en kleuren zorgen voor de nodige rust in dit ontwerp, met als enige heldere toets de felrode muur. Een tuin om naar te kijken!

Introduction / Voorwoord
Noel Kingsbury, Bristol

Photography / Fotografie
Cover: Philp, Colin, Surrey
Back cover: Wooster, Steven, London

Bell, Mathew, London (p. 9, 11, 14-19)
Brookes, John, West Sussex (p. 20-23, 24 bottom, 26-31)
Cianci, Micaela, Surrey (p. 78-79)
Coltart, Douglas, Ayrshire (p. 32-43)
Court, Sally, Middx (p. 44, 46-47, 50, 54)
Dowle, Julian, Gloucestershire (p. 56-67)
Fisher Tomlin, Andrew, London (p. 74-77)
Harpur, Jerry, Essex (p. 24 top, 25)
Heather, Duncan, Oxon (p. 2, 7, 80-91)
Paul, Anthony, Surrey (p. 102-103)
Paul, Michael J., London (p. 100-101)
Philp, Colin, Surrey (p. 128, 133 bottom)
Smith, Ian, West Sussex (p. 104-127)
Stocken Tomkin, Nicola, Surrey (p. 45, 48-49, 51-53, 55)
Sutherland, Ron, The Garden Picture Library, London (p. 92-99)
Wheeler, Stuart, Surrey (p. 68, 70-73)
Whiting, Dominic, London (p. 8, 10, 12-13)
Wilson, Andrew, Surrey (p. 130-132, 133 top, 134-139)
Wooster, Steven, London (p. 140-151)

Final editing / Eindredactie
Femke De Lameillieure

Lay-out & Photogravure / Layout & Fotogravure
Graphic Group Van Damme, Oostkamp (B)

Printed by / Druk
Graphic Group Van Damme, Oostkamp (B)

Binding / Bindwerk
Scheerders Van Kerchove, Sint-Niklaas (B)

Published by / Uitgever
Stichting Kunstboek Publishers
Legeweg 165
B-8020 Oostkamp
T. 00 32 50 46 19 10
F. 00 32 50 46 19 18
Stichting_kunstboek@ggvd.com
www.stichtingkunstboek.com

ISBN: 90-5856-110-0
D/2004/6407/01
NUR: 425